Narin Sanat Günlüğü

toprak, su ve ateşin kızı

"Füreya Koral"

hikâye ve illüstrasyon
Nazlı Eda Noyan

eğlen öğren

Seramik tabak motifi, 1970'ler

Şangır

Merhaba Sevgili Günlüğüm,

Günümüz bu sesle başladı...

Babam kahvaltı hazırlarken çok sevdiği
fincanını kırdığı için çok üzüldü.
Ama günün geri kalanı bizim için
hem neşeli hem de şaşırtıcıydı.

Nar, « Üzülme babacığım. Sen her zaman kırılan eşya uğur getirir, canını sıkma demez misin? »

« Öyle ama bu fincan çok özeldi Nar. Füreya Koral koleksiyonundan… Bir porselen fabrikasında üretilmesine rağmen nadide, yani eşi benzeri az bulunan bir fincandı. »

« Porselen olduğu için mi? »

Babam üzgün bir sesle, « Hayır. Çok sevdiğim bu fincanı özel kılan, çağdaş seramik sanatının öncüsü Füreya tarafından yapılmış olmasıydı. Ne yazık ki bu fincanlar artık üretilmiyor » dedi.

« Ben de tuz seramiğine bayılıyorum babacığım. Anneanneme gittiğimizde Sara ve bana un, tuz, su ile bir hamur hazırlıyor. Buna tuz seramiği deniyormuş. Biz bu hamurla oynamaya doyamıyoruz. »

Ancak babamın bahsettiği seramik biraz farklıymış. Seramik, killi topraktan elde edilen ve yüksek ısıda pişirilmiş malzemeyle yapılan vazo, çanak, çömlek gibi nesnelere verilen isimmiş. Halk arasında pişmiş toprak olarak da bilinirmiş. Porselen ise yine killi topraktan elde edilen beyaz, sert ve yarı saydam hamurdan yapılan nesnelermiş. Porselen seramiğe göre daha dayanıklı olmasına rağmen daha ince ve pürüzsüz bir yüzeye sahipmiş.

Babamın özenle hazırladığı masayı görünce, birbirinden ilginç
porselen tabaklar, vazolar, çaydanlıklar ve fincanlar dikkatimi çekti.

Masanın üzerinde duran mumluğun şekli ise beni çok şaşırttı.
« Hey, bu bir kuş! Pançiko'ya benziyor! » Adını duyan yeşil
papağanım Pançiko heyecanla omuzuma kondu.

Ben sanat eserleri sadece müze veya
galerilerde olur sanıyordum.
Ama masamızın üzerindeki
her şey bir sanat
eseriydi sanki.

Babam masanın üzerindeki çay takımıyla ilgilendiğimi görünce elinde bir kitapla yanıma geldi. Çaylarımızı yudumlarken bana kitaptan bir bölüm okuyamaya başladı...

« (...) İstiyorum ki... Benim çinilerim herkesin olsun.
Yaptığım masa her evde bulunsun.
Bir ocak yapmalıyım çiniden.
Güzel bir merdiven başı.
Kahve fincanlarım olsun bütün kahvelerde.
Zengin fakir, iyi kötü bütün evlerde.
Genç, ihtiyar bütün ellerde.
Sanatı müzelerde hapsetmek yok...
Çağımıza yakışmaz...
Güzelim testi su koymak,
güzelim tas su içmek içindi.
Heykeller meydanları doldurmuştu...
Yaşayacaksın, nefes almak gibi,
su içmek gibi, gülmek,
konuşmak gibi,
görmek gibi bir şey olacak.
Böylesine hayatına karışacak sanat.
Sanatçının hayatına karıştığı gibi,
halkın hayatına da karışacak. »

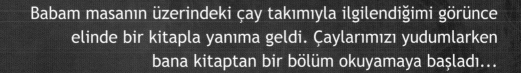

İstanbul Porselen Fabrikası iş birliği ile
ürettiği porselen yemek takımı, 1973

Divan Pastanesi duvarı, 1968

Galeri: Sanat eserlerinin sergilendiği salon.

Babam, « Bu sözler Füreya'ya ait...
Onun eski bir sergisinin kataloğundan » dedi.

« Aaaa... Ben sergi kataloğunun ne olduğunu biliyorum. Bir galeride
sergilenen eserleri gösteren tanıtım kitaplarına deniyor. »

Kataloğu elime aldım ve büyülenerek sayfalarını çevirmeye başladım.

« Ne kadar da büyük bir resim! Tüm duvarı kaplıyor » dedim hayretle.

« Nar'cığım, bu duvarları veya tavanları süslemek amacıyla kullanılan
seramik bir pano. Yani sanat ve mimarlığın iş birliği. Bu gördüğün
kuşlar da sığırcık. Ne kadar da özgür ve mutlu gözüküyorlar değil mi? »

Kataloğun sayfalarını çevirmeye devam ettim. « Peki bunlar nedir? »

« Füreya'nın seramik yapımında kullandığı aletler. Bu notlarını tuttuğu defteri, bunlar da galeriye ziyarete gelenlerin görüşlerini yazdığı sergi defterinin fotoğrafları. »

Bir sayfa daha çevirdim. Bu kez kalın kaşları, bembeyaz saçları ile babaannemi hatırlatan bir kadın fotoğrafı gördüm.

« Bu Füreya mı? »

Babam, « Ta kendisi. »

« Ne kadar da ilginç bir yüzü var. »

« Füreya, çok güçlü bir kadınmış, hayatı boyunca sağlık sorunlarıyla uğraşmış ama seramiği çok sevdiği için tüm sorunların üstesinden gelmiş. Ayrıca çok kalın bir sesi olduğu söyleniyor biliyor musun? »

« Sesini duymak isterdim doğrusu » dedim.

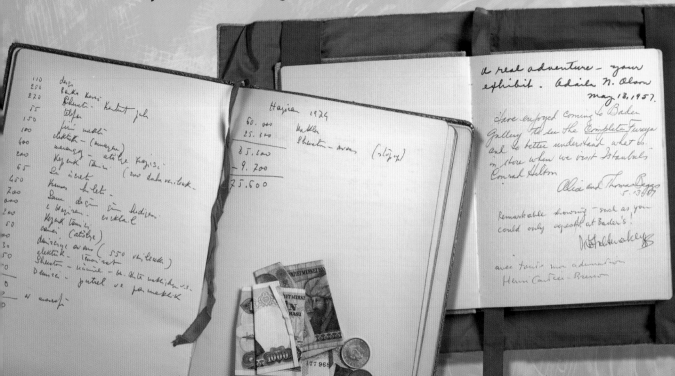

Not defteri,
1951 tarihli
sergi defteri,
fırçaları ve
seramik aletleri

Babamla sohbetimiz ve katalogta gördüklerim beni çok etkilemişti. Birden aklıma bir fikir geldi. Odamdaki kilden, belki babamın kırılan fincanının yerine yeni bir tane yapabilirdim.

Kil, ıslandığı zaman kolayca şekil verilen yumuşak ve yağlı bir toprak.

Koşarak odama gittim ve hemen denemeye başladım. Babama yeni bir fincan yapma fikri bana çok keyif versede yapması o kadar kolay değildi. Oysa geçen yaz İznik seyahatimizde ne kadar da kolay görünüyordu. Ben kil ile uğraşırken Pançiko da beni meraklı gözlerle izliyordu.

Pançiko, « Seramik yapan ablanın kullandığı fır fır dönen masanın adı torna değil miydi? »

« Evet, haklısın... Torna, çarklı tezgâhtır. Çamura yuvarlak bir biçim vermek için kullanılır. » diye cevap verdim.

Aniden çok etkileyici ve kalın bir kadın sesi duydum; « Ne güzel...
Toprak ve seramikle tanışmışsın. Bu senin için önemli bir an olmalı. »

Bu ses nereden geliyordu? Hemen Pançiko'ya baktım.
Muzip gülüşü ve kil rengine dönen tüyleri ile yeşil papağanımın
bana yine bir sürprizi olduğunu gördüm.

Ve o kalın sesi yeniden duydum: « Benim hayatımda da büyük önem
taşıyan iki önemli an var. Birincisi ilkeli, ülkesini ve sanatı seven,
vizyon sahibi Atatürk gibi bir liderle tanışmamdı. Atatürk bana ülkem için
yerine getirmem gereken önemli bir görevim olduğunu söylemişti.
İkincisi ise şu anda dokunduğun toprağa ellerimle ilk şekil verdiğim andı. »

« Aaa... Füreya Teyze, sizinle tanıştığıma çok sevindim,
hoş geldiniz... » dedim.

Mustafa Kemal Atatürk'le olan
anılarıma dair fotoğraf ve bir not

« Hoş buldum Nar'cığım. Fahrünnisa ve Aliye teyzelerimle tanışmıştın değil mi? Her ikisi de seramikle tanışmama aracı olan öncü sanatçılardı. Bildiğin gibi sanatçı kişilikleriyle gurur duyduğum kocaman bir ailem var benim... »

« Evet, elbette biliyorum. Peki, siz şimdi nereden geliyorsunuz Füreya Teyze? »

Füreya Koral, « Yine bir yolculuktan geliyorum. Seyahat etmeyi, kuşlar gibi uçarak farklı yerleri gezmeyi, tanımayı çok severim Nar'cığım. »

« Ben de yolculuk yapmayı çok severim. Hangi ülkelere gittiniz? Oralarda neler gördünüz? »

« Ahh, muhteşem sanat eserleri gördüm! Aslında ülkemin sanatı ve tarihine çok meraklıyım ama Avrupa ülkelerinde Miro, Picasso, Gauguin ve Chagall gibi sanatçıların seramiklerini görmek beni çok geliştirdi. Sonra Meksika ve Amerika'ya gittim. Mısır seramiğini tanıdım. Anadolu dışında, İran gibi başka geleneklere ait toprak, boya, sır, minenin inceliklerini öğrendim ve kullanmaya başladım. Böylece doğudan aldığım estetik değerleri batı tekniğiyle birleştirdim. Belki de bu nedenle eserlerimde doğu ve batıyı başarılı şekilde bir araya getirdiğim söylenir. »

Seramik pano, 49 x 32 cm, 1956

Nar, « Sır, çok gizemli geliyor kulağa… »

Füreya Koral gülerek, « Sır, seramiğe parlaklık
vermek ve dış etkilerden korumak amacıyla
sürülen verniktir » diye cevap verdi.

« Ben de kuşlarınızı çok sevdim.
Kilden kuş yapmak çok zevkli
olmalı, » dedim.

« Kuş ve balık formlarını verdikleri
özgürlük hissi nedeniyle eserlerimde
canlandırmayı çok severim. Senin de
sevmen çok mutlu etti beni. »

« Peki bu kadar kocaman ve
kolay kırılabilen işler yapmak zor
değil mi? Üstelik çok sıcak bir
fırın kullanıyorsunuz! »

Seramik baykuş heykelcik, 1950'ler
Seramik tabak, çap: 29 cm, 1970
Balıklı porselen tabak, çap: 30.5 cm, 1973

« Ben toprak, su ve ateş kadar
ellerim, gözlerim, aklım ve kalbimle
çalışırım. Hiç vazgeçmem, üşenmem,
azim, merak, heyecan, yorgun beden
bu işin bir parçasıdır. »

« Bir seramik fırının önünde ateşin sıcaklığını hissederek, kilden yaptığım çalışmaların pişmesini beklemek benim için çok heyecanlıydı! »

« İçimde hep şu soru vardı: Acaba bu gizemli bekleyiş nasıl sonuçlanacaktı? Vazolarım, fincanlarım, panolarım sıcaktan çatlayabilir, kullandığım renkler değişebilir, farklı sonuçlar ortaya çıkabilir ve emeklerim boşa gidebilirdi? Asla pes etmedim. Çünkü ben toprak, su ve ateşin kızıyım! »

« Siz hiç pes etmediğinize göre çok sabırlı olmalısınız. Babaannem sabırlı olmak en büyük meziyet derdi. »

Füreya Koral, « Sanat, sabır ve çok emek ister. Seramikte çamurun kıvamı, rengi ya da doğru sır için bazen saatlerce bazen de günlerce çalışırsın ama en zoru, eserlerinde insana duyduğun sevgi ve saygıyı yansıtmaktır. Zaten seramik, sadece sanat değil hayatın ta kendisidir. »

Seramik tabaklar,
her birinin çapı:
26 cm, 1979

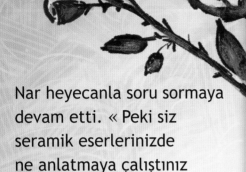

Nar heyecanla soru sormaya devam etti. « Peki siz seramik eserlerinizde ne anlatmaya çalıştınız Füreya Teyze? »

« Seramik zemini öncelikle geleneksel motiflerle süsleyeceğim bir tuval gibi kullandım. Çünkü, önemli bir sanat geleneği olan çinilerimize hayrandım. Sen çininin ne olduğunu biliyor musun kuzum? Çini, toprağın pişirilmeden önce şekil verilerek süslenmesine dayalı bir el sanatıdır. Bir yüzü sırlı ve genellikle çiçek resimleriyle bezeli çiniler duvarları süslemek için de kullanılır. »

« Seramik sanatını modernleştirdim ve çiniyi günümüze uyarladım. Eeee, çağ değişiyor, zamana uymak gerek. *Geleneksel çiniyi yine duvarlarda mı yaşatmalıydım yoksa yaşamın tam içine, eve mi taşımalıydım?* diye sordum kendime. Mesela yaptığım panoları Osmanlı laleleri, karanfiller, söğütlerle, duvar tabaklarını, fincanları, masaları ise Akdeniz ve Ege'nin muhteşem turkuazı ile süsledim. »

Bu da mozaik tekniğinde yuvarlak, üçgen, dikdörtgen parçaları kesip yan yana getirerek yaptığım bir seramik pano, 49 x 32 cm, 1955

« Ben de turkuazı ve moru çok seviyorum. Hem kardeşimin isminin Mavi olduğunu biliyor musun Füreya Teyze? »

« Ahh ne harika bir isim! Ben çocukları çok severim. Bak burada benim dünyamın renkleri, kuş evleri, figürler ve balonlar çocuklara olan sevgimi göstermiyor mu? Evler ve evlere açılan kapılar, insanların gizemlerini çözmek, onları anlamaya çalışmak için bir yoldur. Her ev bir hikâyedir... Sence de öyle değil mi Nar'cığım? »

« Evler » serisinden her biri 14 x 11 x 11 cm seramik heykeller ve Torunum Memo için bir hediye, 1980'ler

« Ben de kilden bir ev
yapmak istiyorum. Yardım
eder misin Füreya Teyze? »
diye biraz çekinerek sordum.

« Şahane olur Nar'cığım!
Ellerinle kile şekil vermek ve
üç boyutu hissetmek ne kadar da
güzel bir duygu biliyor musun? »

« Üç boyut nedir? »

Füreya Koral, « Çevremizde
gördüğümüz bütün nesnelerin
üç boyutu vardır: En (genişlik),
boy (yükseklik) ve derinlik...
Seramik o nedenle üç boyutlu
bir sanattır. Örneğin seramik
bir kule veya bir büst yaparsan
üç boyutlu olur. Büstleri yani insan
figürünün üst kısmını gösteren
heykelcikleri de severek
yaptım. »

Bu da, canım torunum
Memo'nun alçı ve
terra cotta büstü,
yükseklik: 30 cm,
1979

Nar, « Ne kadar çok şey biliyorsunuz. »

« Bilmemek değil öğrenmemek ayıptır küçük hanım. Hem ne kadar da zevklidir ufkunu genişletmek... Ben, toprağı ve kullandığım malzemeleri daha iyi tanımak için İstanbul Teknik Üniversitesi'nin jeoloji bölümüne gittim. Hem de kaç yaşında! İyi ki gitmişim. Böylece araştırarak ve deneyerek sanatımı geliştirmeye çalıştım. »

« Başka neler öğrendiniz üniversitede? »

« Aslında öğrendiğim en önemli şey, seramik sanatının bilim ve sanayi ile iş birliği yaptığı takdirde, bu sanata saygınlık ve verimlilik kazandırdığını keşfetmek oldu. Sanatta işin özü paylaşımdır. Atölyemin kapıları, farklı alanlarda işler üreten sanatçılara, öğrencilere yani herkese açıktı. Bizler çok şey paylaştık, beraberce ürettik. Alçak gönüllü olduk, hayatımızı anlamlı kıldık ve güzelleştirdik. »

Seramik pano, 63.6 x 40.2 cm, 1960'lar

Nar, « Babam fincanınız kırıldı diye çok üzüldü. Şimdi anlıyorum demek ki onun da hayatını güzelleştirmişsiniz. »

Füreya Koral, « Ne mutlu bana. Aslında seramikle kendim dâhil herkesin hayatına anlam, renk ve hikâye katmaya çalıştım. Benim için seramik her şeyden önce dünyayı ifade etmek, kendi dünyamı yaşamak ve paylaşabilmek için bir araç oldu. Kitap ve müzik gibi... Yani yalnızca bir süs eşyası, bir tüketim malı değil. »

« Ancak zamana ve değişime direnmek çok zor. Artık sokaktaki insanların yürüyüşleri bile farklı. Çok yazık... Sanatın inceliği, zarafeti yaşamlarımızdan, evlerimizden ve sokaklarımızdan eksilmemeli. »

« Sen de seramikle kendi evini yarat, şiirini yaz, şarkını söyle, sanatın zarafetini, bilimin gerçekliğini hayatından çıkarma, olur mu Nar'cığım? »

« Yürüyen İnsanlar » serisinden, heykelcik, yükseklik: 17.5 cm, 1992

Bugün de diğer günlerden farklıydı.
Çünkü toprak, su ve ateş ile emek vererek
neler yapılabildiğini gördüm.
Toprağın, suyun ve ateşin kızını tanıdım.
Her zaman içimdeki sesi duymayı diliyorum.
Sanatı ve sanatçıları çok seviyorum.

İyi geceler Sevgili Günlüğüm...

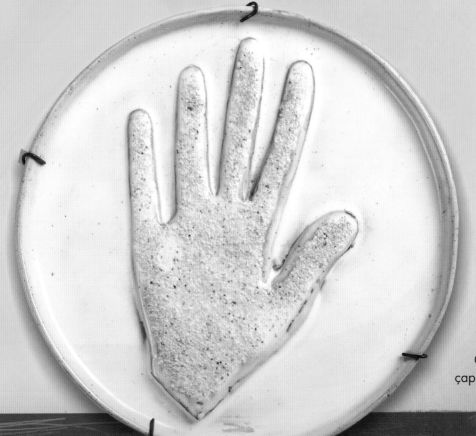

Gre tabak,
çap: 26.5 cm,
1979

Nar'in Sanat Günlüğü

ÇOCUKLAR İÇİN ÖZEL HAZIRLANAN TÜRKİYE'NİN SANATÇI KADINLARI SERİSİ

① Mihri Müşfik Hanım

Nar, kardeşi Mavi, en yakın arkadaşı Elif ve papağanı Pançiko müzeye giderler. Orada ressam Mihri Müşfik Hanım ile tanışırlar. Bireysel ifade yollarından otoportreyi öğrenirler.

② Hale Asaf

Nar, kardeşi Mavi, en yakın arkadaşı Elif ve papağanı Pançiko müzeye giderler. Orada ressam Hale Asaf ile tanışırlar. Cesaretten, seyahat etmek ve gözlem yapmaktan bahseden bu ilham perisinden çok etkilenirler.

③ Neş'e Erdok

Nar, kardeşi Mavi, en yakın arkadaşı Elif ve papağanı Pançiko müzeye giderler. Orada ressam Neş'e Erdok ile tanışırlar. Sanatta kendi gibi olmanın önemini ve güzelliğin ne kadar çeşitli olabileceğini öğrenirler.

④ Fahrünnisa Zeyd

Nar, kardeşi Mavi, en yakın arkadaşı Elif ve papağanı Pançiko müzeye giderler. Orada ressam Fahrünnisa Zeyd ile tanışırlar. Rengârenk ve çok farklı bir dünyaya adım atarlar.

⑤ Aliye Berger

Nar, kardeşi Mavi, en yakın arkadaşı Elif ve papağanı Pançiko müzeye giderler. Orada ressam Aliye Berger ile tanışırlar. Grinin de diğer renkler kadar heyecan verici olduğunu ve çizginin gücünü keşfederler.

⑥ Semiha Berksoy

Nar, kardeşi Mavi, en yakın arkadaşı Elif ve papağanı Pançiko müzeye giderler. Orada ressam Semiha Berksoy ile tanışırlar ve disiplinlerarası bu sanatçıya hayran olurlar.

⑦ Füreya Koral

Babasının kırdığı bir fincandan dolayı seramik sanatçısı Füreya Koral ile tanışan Nar, Pançiko ve gizemli bir balıkla birlikte toprak, ateş, su ve emekle ortaya çıkan seramik sanatını deneyimler.